КСЕНИЯ ДРАГУНСКАЯ

ОЧЕНЬ МЯВНАЯ ИСТОРИЯ

Художник

Владимир Винокур

Москва
ЭНАС-КНИГА
2017

УДК 82-053.2
ББК 84(2)
Д72

Драгунская, К. В.

Д72   Очень мявная история / Ксения Драгунская ; худож. Владимир Винокур . – М. : ЭНАС-КНИГА, 2017. – 80 с. : ил. – (Новые старые книжки).

ISBN 978-5-91921-505-9

Весёлые, остроумные и невероятно милые истории, рассказанные Ксенией Драгунской, и впрямь хочется назвать «очень мявными». В книжке поселились симпатичные фантастические персонажи: летающие дети, говорящие деревья, удивительно смышлёные котята, чудаковатые собаки и даже совсем странное животное по имени Кот Барбосный!

Иллюстрации, такие же смешные и очаровательные, как сами рассказы, много лет назад нарисовал замечательный художник Владимир Винокур, однако только сегодня они наконец увидели свет...

Для младшего школьного возраста.

УДК 82-053.2
ББК 84(2)

ISBN 978-5-91921-505-9

ОЧЕНЬ МЯВНАЯ ИСТОРИЯ

Мама отпустила Тёму гулять и сказала:

– Только дай мне честное слово, что не будешь трогать руками всяких котят и собачат. Они, конечно, очень милые, но у них могут быть лишаи, блошки и разные вредные насекомые. И пожалуйста, не разговаривай с незнакомыми взрослыми.

– Честное слово! – пообещал Тёма и побежал в Старый Парк.

В это время маленький щенок по имени Чем-Чем тоже собирался гулять и даже скрёб дверь своими мохнатыми лапками, а его собачья мама говорила ему на прощание:

– Но ни в коем случае не подходи к мальчикам и девочкам. Хоть они и хорошие, но ведь от них можно заразиться свинкой, ветрянкой и даже насморком! И главное, не бегай за чужими взрослыми!

– Не буду, не буду, мамочка. – И Чем-Чем так быстро побежал в Старый Парк, что его рыжие ушки отлетали назад.

* * *

И в Старом Парке Тёма, конечно, тут же встретил Чем-Чема, а Чем-Чем – Тёму. Они остановились и стали смотреть друг на друга.

«Чудесный щенок, – подумал Тёма. – Даже не верится, что у него лишаи и блошки. Так и хочется погладить! Но я дал честное слово...»

«Славный мальчик! – думал Чем-Чем. – Наверняка умеет приятно пощекотать щенячье пузо. Вот бы ткнуться носом в его коленку. А потом подпрыгнуть и лизнуть в щёку. Но ветрянка, свинка и насморк! Я маме обещал...»

Так и не познакомились.

* * *

А в это время пришёл чужой дядька с большим сачком на плече.

– Эй, мальчик, как тебя зовут? – спросил он.

Тёма вспомнил, что мама не велела ему разговаривать с незнакомыми взрослыми, и ответил:

– Никак!

А Чем-Чем стал прыгать, рычать и лаять на дядькины ботинки.

– Уф, – сказал дядька и вытер лоб. – Ничего себе! Ну и Город! С одной стороны, невоспитанные мальчики, с другой – кусачие щенки.

Тут мимо проходил Вася и его папа Андрей Владимирович. Андрей Владимирович больше всего на свете любил объяснять дорогу, если кто заблудился в Городе. Он лучше всех знал всё про Город, потому что он жил в этом Городе всю жизнь – тридцать лет и два года. Вася и Андрей Владимирович выходили из дому спозаранку и ждали, не попадётся ли им кто-нибудь заблудившийся.

– Вы, наверное, нездешний? – спросил Андрей Владимирович у дядьки с сачком. – Заблудились, конечно? А может быть, хотите осмотреть наши достопримечательности? Например, картину, которую знаменитая художница Женя Чижик нарисовала прямо на стене? Или нашу Речку, по которой иногда проходят маленькие, но настоящие пароходы? А может быть, вы хотите увидеть Дерево, которому скоро исполнится почти двести пятьдесят лет?

– Нет, нет, нет, – замахал руками дядька. – Мне нужно найти маленький кривой переулок, где стоит позабытый, заброшенный старый автомобиль.

– Да у нас сколько угодно кривых переулков! – обрадовался Андрей Владимирович.

– Ведь наш Город ужасно старинный! – прибавил Вася. – И кругом поблизости такие красивые дома, каких теперь не строят.

– Зато на краю Города дома совсем новые, бело-синие, в сорок этажей, – сказал Андрей Владимирович.

– А ещё у нас есть Фабрика Разноцветных Леденцов!

– И дом, где под самой крышей стоит каменный рыцарь.

– Потому что наш Город – это Чудесный Город, Где Столько Всего Интересного и Замечательного.

– Мне очень, очень нужно в самый маленький переулок со старым автомобилем, усыпанным прошлогодними листьями, – сказал дядька.

– Вперёд! – воскликнул Андрей Владимирович. – Мы вас проводим!

И они ушли. А Тёма пошёл пить газированную воду.

* * *

А Чем-Чем побежал по саду носиться просто так. И вот в самом дальнем углу сада, там, где свалены старые скамейки и разбитые фонари, Чем-Чем увидел, что в дырявом тазу сидит кто-то, похожий на маленькую серую варежку. Это был котёнок.

Чем-Чем понюхал его. Пахло чем-то грустным и несчастным.

– Ты кто? – спросил Чем-Чем. – Как тебя зовут?

– Не знаю, – вздохнул котёнок. – Меня никак не зовут.

– А как же тебя называют твои хозяева? – удивился Чем-Чем.

– У меня нет хозяев, – тихо сказал котёнок.

– А кто же кормит тебя вкусностями? – не понял Чем-Чем. – Кто щекочет за ушком? Кто вытирает лапы после гулянья?

Тут котёнок заплакал.

– Что же ты плачешь? – испугался Чем-Чем.

– Я плачу, потому что мне не мявно! – сказал котёнок сквозь слёзы.

– Как это – не мявно? – не понял Чем-Чем.

– Ну вот когда щекочут, кормят, гладят – это мявно. А мне совсем, нисколечки не мявно. Не мявно
мне!!!

И заревел во весь голос.

«Вот так-так, ну и ну, ай-яй-яй», – задумался Чем-
Чем.

И растерянно почесал левой лапкой своё правое ушко. Но тут же воскликнул:

– Знаю! – и даже подпрыгнул от радости. – Это всё потому, что ты не там, где надо, уселся. Тут тебя совсем не видно, и никто не знает, что ты тут сидишь. Так тебя никто не найдёт. Ты лучше сядь на главной улице посреди дороги. И тогда тебя тут же кто-нибудь возьмёт к себе жить насовсем!

– Правда? – спросил котёнок и перестал плакать.

– А то! – сказал Чем-Чем. – Вот есть у меня друг по имени Вафик. Его на трамвайной остановке подобрали. Он там бумажки от конфет ел. А теперь его шампунем моют! Он телевизор сколько хочешь смотрит! Так что беги скорее на главную улицу и сиди там до победы.

И котёнок тут же помчался. Только розовые подушечки на всех четырёх лапах засверкали.

А Чем-Чем домой побежал.

* * *

А Тёма пил газированную воду. Сначала он выпил стакан зелёной и шипучей воды «Дюймовочка». Потом сразу два стакана очень вкусной воды «Лесной арбуз». Потом ещё полстакана голубой воды «Спелые одуванчики». Потом ещё три совсем ма-аленьких стаканчика воды «Синий ветер». Тут ему стало как-то щекотно, легко и весело, как будто он воздушный шарик. В животе у Тёмы кто-то сказал «у-у-у-у». «Так ведь и улететь можно», – подумал Тёма и нечаянно взлетел.

* * *

Лететь было очень здорово. Почти как плавать, но ещё лучше. Тёма поднялся над деревьями Старого Парка. «Полечу к бабушке, – решил он, – очень я по ней соскучился».

В Городе всё было в порядке. Ехали трамваи, стояли милиционеры, прохожие шли и смотрели под ноги. И никто не видел, что мальчик летит.

Тёма взлетел совсем высоко. Под крышей высокого дома стоял рыцарь. Для красоты стоял. Он был каменный. Он опирался на меч и смотрел на Город. «Здравствуй, рыцарь», – сказал Тёма. И рыцарь улыбнулся ему. Тёма полетел дальше, а рыцарь остался стоять и украшать Город.

* * *

В это время в гости к Тёминой маме пришла тётя Вера. Мама и тётя Вера пили на балконе чай с печеньем и вспоминали, как вместе учились в одном классе. А Тёмин папа ничего не вспоминал, просто ел печенье. Потому что он вообще в другой школе учился.

Вдруг тётя Вера сощурилась на небо и сказала:

— Посмотрите, вон над домом с рыцарем какой-то летающий объект. А ты, Наташенька, всё не веришь в инопланетян.

— Ну-ка, ну-ка, — сказал папа и взял в руки подзорную трубу. — Это не объект, — сказал папа. — Это наш Тёма.

— Караул! — прошептала тётя Вера.

И все втроём побежали на улицу.

А Тёма стал плавно снижаться. «Эх, мало газировки выпил, – пожалел он. – Не хватило до бабушки долететь!»

Опустился на сук старого дерева. Сук был такой могучий, что Тёма уселся на нём, как на скамейке. Очень удобно и хорошо.

Тёма посмотрел вниз. Внизу, под старым деревом, собралась толпа. Все кричали и махали руками. «Что это с ними?» – не понял Тёма и посмотрел наверх. Двумя ветками выше сидел огромный кот. И отчаянно мяукал. Увидев Тёму, кот стал бегать по ветке туда-сюда и мяукать сердитым голосом.

Толпа все увеличивалась. Подходили новые прохожие. Прохожие останавливались и задирали головы. Некоторые говорили, будто кот испугался мальчика и залез на дерево, другие – что, наоборот, мальчик испугался кота, полез на дерево, а кот за ним, и вот сейчас кот его поймает. Все хотели снять кота и мальчика с дерева, но не знали как. Позвонили пожарным, а они всё не ехали. Один человек, у которого был грушевый сад, посоветовал трясти дерево, как грушу, и тогда кот и мальчик, словно груши, упадут на землю. Но другая тётенька, у которой был кот, и другой дяденька, у которого был мальчик, говорили, что трясти не надо, потому что кот и мальчик – это совсем не яблоки и не груши и незачем им падать на землю.

Пожарные всё не ехали. Толпа становилась всё больше.

И тут мимо проходили Вася и его папа Андрей Владимирович. В руках у Андрея Владимировича был аквариум с рыбками. Вася посмотрел на толпу, потом на дерево и сказал:

– Папочка, слазай, пожалуйста, на дерево, достань оттуда кота и Тёму.

– Разве папы лазают по деревьям с аквариумами в руках? – удивился Андрей Владимирович.

Но потом он аккуратно поставил аквариум в сторонку, подошёл к дереву, подпрыгнул, уцепился за самую ближнюю ветку, подтянулся, сказал «эх» и влез на дерево.

* * *

Андрей Владимирович слезал с дерева и держал на руках Тёму. А Тёма держал на руках кота. Кот пихался лапами и сердито мяукал.

Тут как раз подоспели пожарные. Они стали пожимать Андрею Владимировичу руки. И наградили значком «Храбрый Пожарный».

А одна кудрявая старушка плакала и целовала Андрея Владимировича. Это была хозяйка сердитого кота.

– Дорогой Андрей Владимирович! – сказала тётя Вера. – Пойдёмте к нам пить чай

с пряниками, финиками, вареньем, печеньем и удо-
вольствием.

— Спасибо, не могу, — ответил Андрей Владимирович. — Нам надо отнести аквариум с рыбками зна-
комому капитану на корабль. Он выпустит рыбок
в Средиземное море. У них там родина. Я в следую-
щий раз с вами чаю попью. А вашего мальчика надо

показать врачу. А то вдруг он ещё куда-нибудь улетит…

Папа подхватил Тёму на руки и понёс к знаменитому доктору Пяткину.

* * *

А ничей котёнок прибежал на главную улицу и сел посередине. Все шли мимо, и он всё время видел разные ноги. Ботинки, кроссовки, кеды, башмаки, босоножки, сандалии и туфельки, а ещё тапочки, шлёпанцы, бутсы и боты. Котёнок нахохлился и стал ждать.

Мимо прошла девушка с цветами и подумала: «Котёнок».

Потом прошёл человек без цветов и тоже подумал: «Котёнок».

Вот прошёл дядька с колбасой в руках, не заметил котёнка и наступил ему на хвост.

– МЯУ!!! – воскликнул котёнок и даже подскочил.

И тут мимо проходил милиционер Шоколадкин. Он наклонился и взял котёнка на руки.

«Ура!» – подумал котёнок и потёрся усатой мордочкой о значок «Милиционер-отличник» на груди Шоколадкина.

А Шоколадкин отнёс котёнка поближе к домам и посадил на землю. Потому что, когда котята посреди дороги сидят, – это непорядок.

И тут появился тот самый человек с большим сачком. Он накрыл котёнка сачком и так понёс его в сачке. «Куда меня несут?» – подумал котёнок и стал барахтаться и пищать. Но никто не услышал.

* * *

Тётя Вера, мама и папа с Тёмой на руках пришли к доктору Пяткину. А он был занят. Он лечил мальчика. Этот мальчик всё время ел снег. А теперь было лето, снег давно растаял, и мальчик съел весь снег в холодильнике.

Мама, тётя Вера, папа и Тёма уселись на креслах. Там сидела ещё одна маленькая девочка с чёлкой. Рядом с ней была её бабушка. Она всё время гладила девочку по голове и вздыхала.

Девочка спросила Тёму:

— Ты кто? У тебя что болит?

Тёма ответил:

– Я Тёма. У меня ничего не болит. Просто я случайно взлетел.

Тогда девочка сказала:

– А я – Мотя. Я часы проглотила.

– Часы? – удивился Тёма.

– Да, вот послушай. У меня в животе.

Тёма наклонился.

– Тикают? – спросила Мотя.

– Нет, – сказал Тёма.

– Правильно, – сказала Мотя. – Это же «Электроника». Чего им тикать, они на батарейке.

Бабушка вздохнула и погладила Мотю по голове.

Тут дверь открылась, вошёл мальчик – поедатель снега, его мама и сам доктор Пяткин.

– Поезжайте в зоопарк, – говорил доктор. – Там по моей записке вам выдадут снег. У них там круглый год полно снега для моржей и белых медведей. Дайте снега вашему мальчику. Пусть досыта наестся! Чтобы ему больше не хотелось.

– Ах, доктор, спасибо вам огромное, – сказала мама поедателя снега, и они ушли.

Доктор посмотрел на Мотю и сказал:

– Неужели это та самая Мотя, которая проглотила часы?

– Да, – сказала Мотя очень тихим голосом.

– Так-так-так, – проговорил доктор. – И что? Тикают?

– Нет, – жалобно сказала Мотя.

– Как?! – испугался доктор. – Значит, ты проглотила часы «Электроника»?

– Да, – пискнула Мотя.

Доктор схватился за сердце.

Мотина бабушка заплакала:

– Что же делать, доктор! Разве за ней уследишь? Мы с дедушкой уже с ног сбились. А папа и мама убежали от этой девчонки в Африку.

– Не плачьте, бабушка, – успокоил доктор. – Мы сделаем вашей девочке особую операцию...

– Не хочу операцию! – завопила Мотя. – Нету у меня в животе никаких часов!

– Как нету? – удивился доктор.

– Понимаете, – сказала Мотя. – Я решила наврать, что проглотила часы. Тогда все будут меня жалеть и лечить. А когда жалеют, можно всё, что хочешь, выпросить.

– И что же ты хочешь выпросить? – серьёзно спросил доктор.

– Котёнка, – жалобно сказала Мотя.

24

— Уважаемая бабушка, — строго сказал доктор. — Что же вы не разрешаете человеку завести котёнка? Я выпишу вашей девочке специальный рецепт. А то вдруг она что-нибудь проглотит по-настоящему.

И написал на листке:

«Девочке Моте необходимо иметь для здоровья живого котёнка.
Доктор Пяткин».

— Ага, бабушка-бабушка! — обрадовалась Мотя, и они ушли.

А про Тёму доктор сказал:

— У вас отличный мальчик. Вы только не давайте ему пить много газировки. Потому что он выдумщик. А наукой уже доказано, что когда выдумщик выпьет много газировки, то непременно взлетит. Так что поменьше газировки. Ну, не больше пяти стаканов за один раз. Будьте здоровы. До свидания.

И папа, мама, тётя Вера и Тёма пошли домой.

* * *

Мотя с бабушкой тоже пошли домой. Идут по улице. А впереди дядька с сачком на плече. Мотя видит — в сачке кто-то барахтается. Котёнок!

Мотя подскочила и цап дядьку за рукав:

— Гражданин! Вы куда котёнка тащите?

Дядька остановился и поправил сачок на плече.

— Уважаемая девочка. Как известно, кошки, или, выражаясь научно, мяуки, бывают домашние. Домашние мяуки сидят на окошках и мурлычут. Но встречаются ещё и дикие, ничьи или же вовсе общественные мяуки. Эти бегают без присмотра и безобразничают на крышах. Поэтому международное общество кошколюбов решило создать в вашем Городе, в переулке, где стоит старый автомобиль,

АКАДЕМИЮ ОБЩЕСТВЕННЫХ МЯУК.

Там бездомные кошки будут приручаться и учиться петь уютные песни или прогонять мышей.

— Вот здорово придумали! — обрадовалась Мотя. — Только вы ещё много мяук поймаете, а этого котёнка отдайте лучше мне. Я буду его растить и воспитывать.

Дядька вытащил котёнка из сачка и отдал Моте.

— Милый, милый котёнок! — сказала Мотя. — Пойдём скорее ко мне домой, я вымою твои пыльные лапки.

«Ура! — подумал котёнок. — Или не ура?» — тут же испугался и на всякий случай покрепче зацепился за Мотину майку. Сердце котёнка застучало часто-часто.

— Котёнок, не бойся, — сказала Мотя и прижала его к себе. — Пойдём, я напою тебя тёплым молоком.

«Мявная девочка», – решил котёнок и мурлыкнул.

А бабушка ничего не сказала. И дедушка ничего. Что поделаешь, если сам доктор Пяткин прописал девочке котёнка.

И стали они жить вчетвером.

Котёнок всё время так много ел, что живот у него стал круглый, как мячик. Ещё котёнок всё время везде ползал и шевелил усами – принюхивался. Это потому, что он знакомился со своим новым жильём. А однажды котёнок куда-то

подевался. Мотя искала по всей квартире, даже в шкаф заглянула. А потом смотрит – котёнок под батареей спит. Ему там тепло и мявно.

И тогда Мотя сочинила стихотворение:

ОН КУДА-ТО ВЕСЬ ПОПОЛЗ,
ТОЛСТЫЙ-ТОЛСТЫЙ МЯУ-МЯУ,
И КУДА-ТО ВДРУГ ЗАПОЛЗ,
ТОЛСТЫЙ-ТОЛСТЫЙ МЯУ-МЯУ,
А ПОТОМ ЕЩЁ ПОЛЕЗ,
ТОЛСТЫЙ-ТОЛСТЫЙ МЯУ-МЯУ,
И КУДА-ТО ВЕСЬ ИСЧЕЗ,
А ПОТОМ НАШЁЛСЯ!

Вот ведь какая мявная приключилась однажды история!

КОТ БАРБОСНЫЙ

У эрделихи Дуни было много внуков – маленьких эрделят.

А один внук был даже спаниель-кокерёнок. Рыжий такой. Звали его Чем-Чем. У этого Чем-Чема был двоюродный прадедушка Кот Барбосный. Он так давно жил на свете, что никто уже не помнил, кто же он всё-таки на самом деле – кот или барбос. С виду он был довольно кошачий. Только очень большой и с висячими ушами. И с бородой, как у барбоса. К тому же он никогда не мяукал, а только

тихо урчал или чихал. Он и сам уже забыл, кот он или барбос. Все привыкли, что он просто такой вот специальный, совершенно Барбосный Кот.

Целыми днями Кот Барбосный лежал на крыльце, пил чай и слушал радио. Он очень любил слушать радио. Но ему было плохо слышно. Во-первых, потому что он был уже старый. А во-вторых... Нет, надо всё по порядку.

Однажды к ступенькам крыльца подошёл лесник Алексей Юрьевич в форме с золотыми пуговицами. Он присел на корточки, достал из сумки большую тетрадь и спросил:

— Скажите, пожалуйста, кто вы всё-таки на самом деле — кот или барбос? Я переписываю население окрестностей, и мне надо вас как-то записать.

Кот Барбосный, конечно, ничего не расслышал. Он решил, что Алексей Юрьевич хочет записать его воспоминания о молодости. И он сказал:

— Однажды, лет сто или двести назад, позапрошлой осенью, из-под сарая...

— Нет, нет, нет, — построже сказал Алексей Юрьевич. — Вы мне лучше скажите, барбос вы или кот? Некрасиво в наше время не быть ни котом, ни барбосом и при этом быть и барбосом, и котом.

В это время ухо Кота Барбосного приподнялось, и оттуда выглянул лягушонок.

— Послушайте! — сердито сказал он. — Что вы кричите? У нас одна бабочка даже обратно в гусеницу превратилась!

И скорее спрятался обратно. Алексей Юрьевич так удивился, что даже замолчал. А потом сказал:

– Безобразие! Зачем вы напустили полные уши лягушат? А ещё дедушка... Стыдно!

И ушёл.

А Кот Барбосный так и остался лежать на крыльце, урчать, чихать и слушать радио, которое ему не было слышно, и вспоминать детство, когда он был котёнком или, может быть, щенком.

И тут прибегает двоюродный правнук рыжий Чем-Чем и говорит:

– Дедушка, мне надо тебе что-то ужасно важное сказать. Я очень люблю одну маленькую кошачью девочку. Я её так люблю, что сегодня укусил её за хвост, а она залезла на дерево и не может слезть обратно.

Кот Барбосный сказал:

– Дорогой рыжик, ты опять забыл, что я ничего не слышу, потому что в моих просторных, мохнатых и тёплых ушах прячутся от холода бабочки и маленькие лягушата. Все они там шуршат и квакают. Но выгнать их я не могу – ведь на ветру они замёрзнут.

Чем-Чем задумался. Ему очень хотелось рассказать прадедушке о кошачьей девочке. Чем-Чем думал, думал и придумал.

– Дедушка! – сказал он. – Ты не должен слушать ушами, если уши заняты. Ты должен слушать чем-нибудь другим. Носом, например. Вот послушай…

Чем-Чем подошёл поближе к дедушкиному носу и сказал опять:

– Дедушка, я так сильно люблю маленькую кошачью девочку, что сегодня укусил её за хвост…

– Чудак! – сказал Кот Барбосный. – Лучше бы ты подарил ей конфету… Как хорошо слышно! – удивился Кот Барбосный. – Теперь всегда буду слушать только носом.

– Конфету я и сам съесть могу, – сказал Чем-Чем. – Но у меня есть ненужный цветок, – и он достал цветок из-за ошейника. – Вот понюхай, пожалуйста.

– Чем же я буду нюхать? – задумался Кот Барбосный. – Ведь носом я слушаю. Если носом ещё и нюхать, он устанет и заболеет.

– А вот нюхать ты будешь ушами! – догадался Чем-Чем. – Ну-ка попробуй, – и поднёс цветок прямо к мохнатому дедушкиному уху.

– Чудесно пахнет этот цветок! – сказал дедушка. – Когда нюхаешь ушами, всё пахнет гораздо приятнее. Какой же ты у меня умный, Чем-Чем. Ты только вот что запомни – когда ты кого-нибудь любишь, то не надо его кусать. А то этот кто-то не поймёт, что ты его любишь. Лучше тому, кого любишь, дарить что-нибудь. Только не ненужное, а вкусное или красивое.

И Чем-Чем убежал дарить кошачьей девочке цветок.

А дедушка Кот Барбосный остался лежать на своём крыльце и слушать радио. Теперь было очень здорово слышно. Там как раз началась передача «Хорошие новости».

Сообщали, что известный звездочёт Наташа Ресничкина увидела в свои наблюдательные бинокли полосатую кошку.

Она летела по небу, рулила хвостом, у которого был совершенно чёрный кончик, и держала усы по ветру. Звездочёт Наташа Ресничкина очень обрадовалась, потому что летучие кошки всегда появляются к снежной зиме и чудесному Новому году.

ДЕНЬ РОЖДЕНИЯ
ДЕРЕВА

Приятно поутру встретить добрую умную собаку с тёплыми ушами. Вот Тёме сегодня повезло. Идёт через двор, а навстречу – собака. Уши тёплые-тёплые. Тёма специально потрогал. И она ему ничего не сказала.

41

Посмотрела своими умными глазами с пониманием и пошла, мохнатая, дальше. И Тёма тоже дальше пошёл. Вдруг слышит, кто-то вздыхает. Сначала один раз, а потом и второй. Так печально и тихо:

*«Ах ты, боже мой,
     ах ты, ох-ох-ох...»*

Тёма оглянулся. Вокруг никого не было. Только старое чёрное Дерево росло себе и росло.

— Дерево, — спросил Тёма строго, — это ты тут охаешь?

— Я, детка, — ответило Дерево и опять вздохнуло.

— Что же ты вздыхаешь? — удивился Тёма. — Или тебе не нравится жить в нашем чудесном Городе, где столько всего интересного?

— Очень нравится, детка, — ответило Дерево. — А вздыхаю я потому, что у меня сегодня день рождения.

— Вот это да! — удивился Тёма. — А я и не знал, что у деревьев бывают дни рождения.

— Сегодня мне исполняется двести тридцать два года, — грустно сказало Дерево и вздохнуло ещё раз.

Тёма даже отошёл подальше и запрокинул голову, чтобы оглядеть Дерево со всех сторон.

— Значит, ты старше меня на двести двадцать пять лет, — сосчитал он. — Пожалуй, я буду называть вас на «вы». Вы как мой прапра-прадедушка.

– Да, – вздохнуло Дерево. – Я было совсем маленьким ростком, когда в этом Городе и вообще на всём белом свете не было ещё ни жвачки, ни электричества.

– Что же вы вздыхаете, если у вас день рождения?! – воскликнул Тёма. – Вам, наверное, надарили кучу подарков! А какие подарки дарят деревьям?

– Никто мне ничего не подарил. Никто не знает, что у меня день рождения.

– Давайте, я вам что-нибудь подарю! – предложил Тёма. – Хотите толстый зелёный фломастер? Или апельсин? Или…

– Скажи, детка, а хорошо ли ты учишься? – спросило Дерево.

– Хорошо, хорошо! – похвастался Тёма. – У меня только по пению четвёрка, потому что я громче всех пою. А остальные пятёрки, все до одной.

– Значит, ты не безобразник? – догадалось Дерево.

– Нет, что вы! Я – командир всех пускателей бумажных корабликов.

– Какая неприятность, – сказало Дерево и вздохнуло совсем грустно. – Куда же подевались настоящие безобразники? Или хотя бы просто озорники? Раньше их было хоть пруд пруди. А теперь – кот наплакал. Ах, какие раньше были замечательные безобразники и озорники. Они все залезали на меня и сидели на моих ветках. Это было так здорово, так приятно. А одна девочка даже построила дом во-он там, наверху, между теми ветками. Это была самая большая безобразница. Когда её ругали

дома, она прибегала, вскарабкивалась на мои ветки и пряталась. А потом её родители стояли внизу и упрашивали спуститься. И тогда она кидала в них шишками. А потом девочка выросла и забыла меня.

– Какими шишками? – удивился Тёма. – Разве же вы ёлка?

– Я? – задумалось Дерево. – Нет, я не ёлка. Значит, она кидала в них желудями.

– Но вы совсем не похожи на дуб! – воскликнул Тёма.

– Да, пожалуй, – согласилось Дерево. – Знаешь, детка, я так давно живу на свете, что даже не помню, дуб я, или тополь, или ещё кто-нибудь. Но это не важно. Главное, что я очень скучаю без озорников. Вот если бы кто-нибудь сидел на моих ветках и болтал ногами – я бы так обрадовалось, так обрадовалось!

Тёма подпрыгнул, чтобы ухватиться за самую низкую ветку, но так и не дотянулся.

– Ладно, не грустите, – сказал Тёма. – Стойте и ждите. А я что-нибудь придумаю.

Тёма побежал в школу. Пока он разговаривал с Деревом, уже давно начался урок. И Тёма опоздал. А учительница Лизавета Андреевна была очень строгая. Она была до того строгая, что её боялись не только ученики, но и всякие вещи. То доска перепугается и спрячется, то сумка исчезнет. Тёма прибежал в класс, а Лизаветы Андреевны ещё не было. Она сама опоздала. Ждала трамвай на остановке, и, когда трамвай приехал, она так строго на него посмотрела, что трамвай испугался, попятился и уехал задним ходом. А строгой Лизавете Андреевне пришлось идти в школу пешком.

Тёма первым делом спросил у главного двоечника Чмокина:

– Чмокин! Можешь на одно дерево залезть?

Чмокин говорит:

– Я куда хочешь залезть могу, но не могу никуда лезть – я слово дал, честное благородное слово, вести себя прилично.

Маня Симпатягина сказала:

– Тёма, если тебе очень надо, то я могу на дерево залезть.

Гоша Нямский как захохочет:

– Ты? На дерево? Ты же староста! Видали – староста на дереве!

Маня обиделась:

– Ну и что, что я староста! Зато я на велосипеде ездить умею, стоя и без рук.

Тогда Глаша Стекляшкина спросила:

– А зачем тебе на дерево? У тебя там что-нибудь случайно застряло?

– Да нет! – сказал Тёма. – Просто у этого Дерева сегодня день рождения. Ему исполняется двести тридцать два года. А его ещё никто не поздравил. И ничего ему не подарил. Поэтому надо скорее залезть и сидеть на его ветках – потому что больше всего на свете это Дерево любит, когда всякие безобразники сидят у него на ветках и болтают ногами.

– Что же ты раньше сразу не сказал? – воскликнула Стекляшкина, и все побежали залезать на Дерево.

И залезли. Все! Вдвадцатером. Сидят и ногами болтают.

— До чего же хорошо, до чего же здорово! — говорило Дерево. — Вот теперь я чувствую, что у меня сегодня настоящий праздник.

Ветки у Дерева были такие толстые, сильные и надёжные, что на них можно было сидеть, как на скамейке, и видеть небо, которое оказалось совсем близко.

Но в это время мимо проходил директор школы Джон Николаевич. Он сегодня тоже опаздывал в школу. Но не потому, что от него уехал трамвай. А потому, что у него потерялся дедушка. Это случилось давно, когда Джон Николаевич был маленьким. Дедушка ушёл за бубликами и куда-то с тех пор запропастился.

А сегодня утром от дедушки пришло письмо. Дедушка писал, что у него всё хорошо и что он стал наконец королём на одном острове в Тихом океане. Джон Николаевич так обрадовался, что даже не поверил. Он решил, что это он спит и ему всё снится во сне. Поэтому он попросил соседей, чтобы они его ущипнули. Но они ущипнули его слишком сильно, и пришлось даже вызывать доктора.

Поэтому директор школы Джон Николаевич сегодня немножко опаздывал на работу и теперь шёл дворами, чтобы покороче. Вдруг видит – на большом чёрном Дереве много всего пёстрого торчит. Пригляделся получше, сощурился повнимательнее, очки протёр – да это же целый класс на ветках расселся и ногами болтает.

Джон Николаевич удивился:

– Дети! Вы почему на Дереве, а не на уроке?

– А мы это Дерево с днём рождения поздравляем.

Джон Николаевич хотел было тоже на Дерево залезть, подпрыгнул, но не дотянулся. Тогда он пошёл в школу. И видит, Лизавета Андреевна стоит посреди пустого класса.

Джон Николаевич ей говорит:

– Не беспокойтесь, всё в порядке, ваши дети на Дереве. Во-он там, во дворе.

Лизавета Андреевна сделала самые строгие глаза и пошла к Дереву. Тёма и его друзья сверху увидели Лизавету Андреевну и думают: «Ну всё. Караул». А она уже совсем близко! И тут Дерево протянуло свою чёрную ветку, погладило её по голове и сказало:

– Это ты, Лизавета?

Она говорит:

– Да, Дерево, это я.

– Чего же ты так давно не приходила? – спросило Дерево. – Неужели ты забыла меня?

– Нет, нет, я тебя совсем не забыла, – ответила она. – Просто дел как-то много. Даже некогда на Дереве посидеть. Но я тебя помню, ты не думай. Ты всё равно моё самое любимое Дерево.

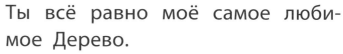

– Я тебя тоже всё время помню, – сказало Дерево. – Ты самая настоящая безобразница из всех безобразников. Ты так здорово кидалась шишками… Или каштанами?..

Лизавета Андреевна так ловко подпрыгнула, что сразу оказалась высоко на ветке старого Дерева и прислонилась к стволу. А ствол был такой широкий, что, даже если бы Лизавета Андреевна, Джон Николаевич, и Тёма, и Глаша взялись за руки, их рук всё равно не хватило бы, чтобы обнять старое Дерево.

Дерево было так счастливо. Теперь у него был настоящий день рождения.

Во Свояси

Недавно эрделиха Дуня съела книжку «Английский язык в картинках». Это она случайно. Сначала она только понюхала, потом лизнула, потом прикусила легонько, и давай трепать бедную книжку, и урчать, и подвывать, и причмокивать. В жизни она не грызла ничего вкуснее «Английского языка в картинках». Задумалась и не заметила, как всю книжку изорвала. Смотрит – ни английского языка, ни картинок. Одни клочки. Эрделихе Дуне стало очень стыдно. Она даже забралась под диван.

А тут двойняшки, Пётр и Фёдор, из школы пришли. Видят – по всей комнате клочки, а самой Дуни что-то не видать. Они сразу поняли, в чём дело.

– Да, – говорят, – Дунечка-Дунечка. Ничего не скажешь. А ещё бабушка называется. Хуже щенка недрессированного.

Дуня под диваном так вздохнула, что клочки взлетели и закружились по комнате.

– Ладно, – сказали двойняшки. – Мы тебя всё равно любим. Пойдём с нами в Старый Парк гулять.

Идут вместе по Старому Парку. А навстречу, как назло, англичанин. Весёлый такой! Увидел двойняшек с эрделихой и что-то им приветливое говорит.

Двойняшки растерялись и сказали ему:

– Китикет!

Это было одно-единственное слово, которое они вспомнили по-английски из книжки «Английский язык в картинках».

Англичанин засмеялся и пошёл дальше.

Пётр говорит:

– А если он заблудился и спрашивал у нас дорогу? А мы не поняли!

Фёдор отвечает:

– Теперь он совсем собьётся с пути и потеряется.

Пётр говорит:

– Жалко, что мы по-английски не понимаем.

HELLO!

Фёдор отвечает:

– А всё кто? Всё – Дунька!

Пётр и Фёдор стали Дуню вместе изо всех сил ругать:

– Другие собаки в твоём возрасте на границе служат или в цирке выступают, а ты целыми днями на ковре лежебочничаешь, толстеешь только и пылишься. Надоело уже тебя пылесосить.

Пётр говорит:

– Давай лучше её вообще продадим.

И они как заорут:

– Продаётся Дунька,
　　бабушка эрдельская,
　　　　толстая, пыльная
　　　　　　и бородатая!

Потом Пётр запрыгал и закричал:

– Дунька – пыльная эрдель,
　　Дунька – пыльная эрдель!

Дуне стало стыдно, обидно и захотелось убежать куда глаза глядят. А тут ещё Фёдор тоже запрыгал и закричал другой дразнильный стишок:

Вдруг из-под дивана!
Раздаётся «р-р-р-р-р-р»!
Там сидела Дуня!
Наш эрдель-терьеррррр!

Это было уже совсем обидно, потому что это была неправда. Дуня была воспитанная собака и никогда никому не говорила «р-р-р-р-р-р». Она говорила только «ваф» своим вежливым мохнатым голосом. Дуне так захотелось скорее убежать куда глаза глядят, что она

побежала. И убежала. А Пётр и Фёдор остались далеко позади. Их даже не было видно. Потому что эрдели очень быстро бегают. А обиженные эрдели – ещё быстрей.

Пока Дуня бежала, начался дождь. Дуня остановилась и огляделась. Тут был самый край Города. Всюду росли чёрные старые яблони. И красовался один-единственный бело-синий дом в сорок этажей. А рядом с домом стоял старый рояль. Дуня спряталась под роялем от дождя, свернулась поудобнее, положила свою бородатую голову на мохнатые лапы и стала грустить. Она вспомнила, как Пётр и Фёдор были маленькие и она вылизывала их пятки своим витаминным розовым языком или прогоняла из квартиры вредных микробов. Потому что уже давно известно, что микробы

очень боятся собак – как увидят собаку, сразу улепётывают. Так Дуня лежала под роялем и грустила, а дождь уже перестал.

Из нового дома вышел художник Разноцветов, увидел Дуню и стал скорее рисовать с натуры картину под названием «Грустный эрдель залез под старый рояль». Тут из дома вышли два богатыря в комбинезонах, подхватили рояль и унесли. А Дуню совсем не заметили. Художник Разноцветов спрятал свои краски, подмигнул Дуне и тоже ушёл по своим делам. А Дуня потянулась, отряхнулась, вздохнула, почесала

свою жёлтую бороду левой задней лапой и пошла во Свояси.

Свояси были довольно далеко. Во Свояси надо было идти через шесть полей и плыть через три реки. Дуня была во Своясях всего один раз, ещё щенком, когда у неё не было даже ошейника, а была красная мягкая шлейка. Она запомнила Свояси на всю жизнь, потому что там была река, море и горы, поле и лес. По утрам во Своясях стоял вкусный туман. Его

можно было есть сколько хочешь. Из-за него некоторые даже ссорились. Одни говорили, что он похож на кисель, другие – что это самый настоящий шоколадный крем.

«Во Свояси, во Свояси!» – шептала Дуня, пробегая по лесам и полям, фыркая носом и высовывая язык. Дождь ушёл далеко-далеко. Погода стояла мявная-премявная. Птицы пролетали высоко в небе и махали Дуне крыльями.

В еловом лесу Дуня услышала, что кто-то сильно чихает. Дуня остановилась, надела очки и увидела большую лягушку.

– Ах, не смотрите на меня! – воскликнула лягушка и три раза подряд чихнула с визгом и подвыванием. – Я такая некрасивая.

– Да что вы, – сказала Дуня. – Лягушка как лягушка!

– О, нет, нет, нет, – лягушка чихнула ещё десять раз и пролепетала: – Я сейчас такая мокрая и зелё-ная... Это просто потому...

АПЧХИ, АПЧХИ, АПЧХИ, ЧТО Я...

АПЧХИ,

ПЧХИ,

ЧХИ-ИИИИИ!

Потому что я болею! У меня насморк. А на самом деле я... апчхиапчхиапч-хи... я такая... апчхичхипчхи...

я белая и пушистая, – проговорила наконец лягушка и снова стала чихать двадцать раз подряд.

– Да что вы говорите! – удивилась Дуня. – Значит, вам надо скорее лечиться.

– Да! – обиженно сказала лягушка. – Мне нужны ежедневные тёплые ванны в чистом ручье. Гимнастика для лапок. Потом меня надо обмазать малиновым вареньем. А после того как это малиновое варенье с моей спины слижут два медвежонка, надо опустить меня в молоко, намазать прошлогодним вареньем из молодых лопухов…

– Так чего же в этом трудного? – удивилась Дуня. – Надо только одолжить у кого-нибудь лопушиного варенья.

– Ах нет, вы не понимаете, – взмахнула лапками лягушка. – Ведь варенье из молодых лопухов надо смыть специальным раствором. А в него входят:

⇒ СОРОК КЛОЧКОВ ШЕРСТИ
   ИЗ ХВОСТОВ ТОЛСТЫХ ЩЕНЯТ,

⇒ ВОСЕМЬДЕСЯТ ТРИ ОБРЫВКА
   ДУРАЦКИХ СЧИТАЛОК

⇒ И СЛЁЗЫ ВРЕДНЫХ МАЛЬЧИШЕК.

Ну, клочки шерсти – это ещё ладно, у меня есть знакомые толстые щенята, считалок мы тоже где-нибудь наберём. Но где взять слёзы вредных мальчишек, если во всей округе нет ни одного вредного мальчишки, а есть только хорошие мальчики.

– Послушайте, – сказала тут Дуня, – у меня есть целых два знакомых вредных мальчишки. Они до того вредные, что я ушла от них во Свояси.

– Так вы идёте во Свояси? – обрадовалась простуженная лягушка. – Спросите там, пожалуйста, не осталось ли у них прошлогоднего варенья из молодых лопухов.

– Спрошу, непременно спрошу, – пообещала Дуня. – Вы обязательно поправитесь. Надо только придумать, как достать из моих вредных мальчишек слёзы. Дело в том, что они никогда не плачут…

– Придумайте, придумайте что-нибудь, – жалобно чихнула лягушка, – ведь в воскресенье я должна быть на балу.

Дуня побежала по лесу дальше. В лесу уже темнело, а на поле было ещё совсем светло, потому что, как известно, вечер живёт в лесу, весь день спит в овраге, а когда наступит время, вылезает из оврага очень медленно и выходит на поле.

Дуня продрогла и устала – ведь она была уже пожилая собака, любила есть конфеты, смотреть телевизор и толстеть. Дуне было страшно одной бежать в далёкие Свояси. К тому же какая-то злая колючка вцепилась ей в лапу и так и ехала на её лапе и кололась. Дуне захотелось домой, ведь сейчас как раз начиналась программа «Добрый вечер, друзья!». «Нет, не вернусь, не вернусь, всё равно ни за что не вернусь! – решила она на бегу. – Обзываются, стихи дразнильные про меня сочиняют…»

Впереди была река. Дуня побежала по берегу вперёд, а потом назад. Нет, реку никак нельзя было перейти. Бедная Дуня! Она даже по лужам-то не любила ходить, а тут надо было плыть через незнакомую тёмную реку. Дуня взвизгнула, зажмурилась и прыгнула в реку.

«Главное, держать и усы и бороду на воде!» – помнила она. Нет, плыть было совсем не так уж плохо. Дуня согрелась. В тёмной речке ей было уютно. Но тут какая-то развесёлая рыба нырнула под Дуню и пощекотала ей плавником меховой живот. Дуня очень боялась щекотки. «Хи-хи-хи-хи-хи!» – взвизгнула она, перестала шевелить лапами от смеха и пошла было ко дну.

А в этой речке, на самом дне, жила русалка. Больше всего на свете она любила вертеть хвостом и наряжаться. Она как раз занималась аэробикой и вдруг видит, что ко дну идёт большая бородатая собака. Русалка очень рассердилась. Но не потому, что она не любила собак. Просто она всегда сердилась, если ей мешали заниматься аэробикой. «Ещё всякие собаки будут без приглашения приходить ко мне на дно реки!» – подумала русалка и изо всех сил толкнула Дуню, так что Дуня вынырнула. И русалка сама тоже вынырнула и спрашивает:

– Послушайте, собака. Зачем вы идёте ко дну?

– Я не ко дну, – ответила Дуня, фыркая и чихая. – Я во Свояси иду.

– Везучая же вы, собака! Я так давно не была во Свояясях. А ведь там живёт мой друг Фалалей...

Русалка задумалась и нырнула обратно. А Дуня доплыла до берега и опять побежала. Дуня бежала через лес. В лесу всё шуршало и ухало. Это птицы спали, им снилось много всего интересного, и во сне они ахали, охали, разговаривали.

А ёжик хохотал во сне. Ему снилось, что он опять превратился в ананас. Лежит в магазине под стеклом весь такой ананасный и продаётся за целую кучу денег.

Когда Дуня вышла из лесу, начиналось утро. Кругом был туман. Дуня видит – в тумане сад, а в саду стоит дом. На крыльце кто-то большой и мохнатый сидит, туман из миски ест.

Дуня говорит:

– Извините, пожалуйста. Это случайно не Свояси?

А мохнатый как закричит:

– Дунечка приехала! Ура!

Тут дверь открылась, и на крыльцо вышел человек в шляпе. Сразу видно, что очень хороший человек. А мохнатый ему говорит:

– Вот, Фалалей, познакомься – моя племянница Дуня. Бабушка многих эрделят и моего двоюродного правнука рыжего Чем-Чема.

И Дуня сразу догадалась, что это её дальний родственник Кот Барбосный. Сначала она не узнала его, потому что очень давно не видела, а письма писала редко.

– Здравствуйте, Дуня, – сказал Фалалей. – Очень, очень рад с вами познакомиться.

Он поднял шляпу. У него на голове росли не только волосы, но и маленькие белые цветы. Фалалей дал Дуне большую деревянную ложку, и все трое стали есть туман.

А по радио в это время опять передавали «Хорошие новости».

Вчера в Городе заплакали два мальчика – Пётр и Фёдор. Они так сильно плакали, что сначала их слёзы заполнили улицу, потом площадь, а потом из слёз получилась Речка, которая побежала, побежала и из Города выбежала в лес. В это время по лесу проходил лесник Алексей Юрьевич. В руках у него была баночка прошлогоднего варенья из молодых лопухов и сорок клочков шерсти из хвостов толстых щенят. Алексей Юрьевич очень удивился, увидев в своём лесу незнакомую маленькую Речку, и попробовал её на вкус. «Да это же слёзы вредных мальчишек!» – обрадовался лесник и набрал полный кувшинчик. Теперь он обязательно вылечит простуженную лягушку. Сообщается, что вредные мальчишки

Пётр и Фёдор плакали оттого, что у них убежала люби-
мая собака Дуня, бабушка эрдельская. Уже объявлен все-
мирный розыск. А вредные мальчишки просили пере-
дать для Дуни, если она их услышит, любимую её песню
«Ах, этот чёрный нос».

— Я вернусь! — закричала Дуня. — Скорее домой,
в Город!

— Да погости хоть несколько дней, — попросил Кот
Барбосный, — будем вместе туман есть, лежать, меч-
тать, толстеть...

— Я подумаю, — сказала Дуня.

ОГЛАВЛЕНИЕ

Литературно-художественное издание

ДЛЯ МЛАДШЕГО ШКОЛЬНОГО ВОЗРАСТА

Драгунская Ксения Викторовна

Художник
Владимир Исаакович ВИНОКУР

Художественный редактор *Е. М. Володькина*
Технический редактор *Н. В. Савостьянова*
Компьютерная верстка *Е. В. Фроловой*
Корректор *М. В. Серебрянцева*

Подписано в печать 28.11.2016. Формат 84×108 $^1/_{16}$.
Бумага офсетная. Гарнитура Myriad Pro. Усл. печ. л. 8,4.
Тираж 5000 экз. Изд. № 1417. Заказ № 1620560.

ЗАО «ЭНАС-КНИГА».
115114, Москва, Дербеневская наб., 11.
Тел. (495) 913-66-30. E-mail: sekr@enas.ru
http://www.enas.ru

facebook.com/enas.kniga
instagram.com/enas.kniga
vk.com/enas.kniga
ok.ru/enas.kniga

arvato
BERTELSMANN

Отпечатано в полном соответствии с качеством
предоставленного электронного оригинал-макета
в ООО «Ярославский полиграфический комбинат»
150049, Ярославль, ул. Свободы, 97
тел./факс: (4852) 45-13-44.

0+